Claire Clément • Laurent Simon

LILIPELLE
et le doudou perdu

bayard jeunesse

Lilipelle est une pelleteuse.
Toute la journée, elle creuse.
Elle creuse la terre, elle creuse des trous
pour construire des maisons.

Son bras se lève haut, très haut, et…
DOIIING ! Son bras retombe
et creuse la terre.
Et si jamais elle trouvait un trésor ?

Aujourd'hui, un petit garçon
regarde travailler Lilipelle. Il s'écrie, émerveillé :
–Waouh ! Elle est trop belle !

Puis il demande : –Elle sera finie quand, la maison ?
–Il faut attendre encore un peu, mon chéri
lui répond son papa.

Puis le petit garçon et son papa s'en vont.
Lilipelle continue de travailler : DOIING ! DOIING !
Quand soudain, en remontant son bras,
Lilipelle s'arrête net, stupéfaite.
Dans sa pelle, au milieu de la terre,
il y a un petit lapin blanc !

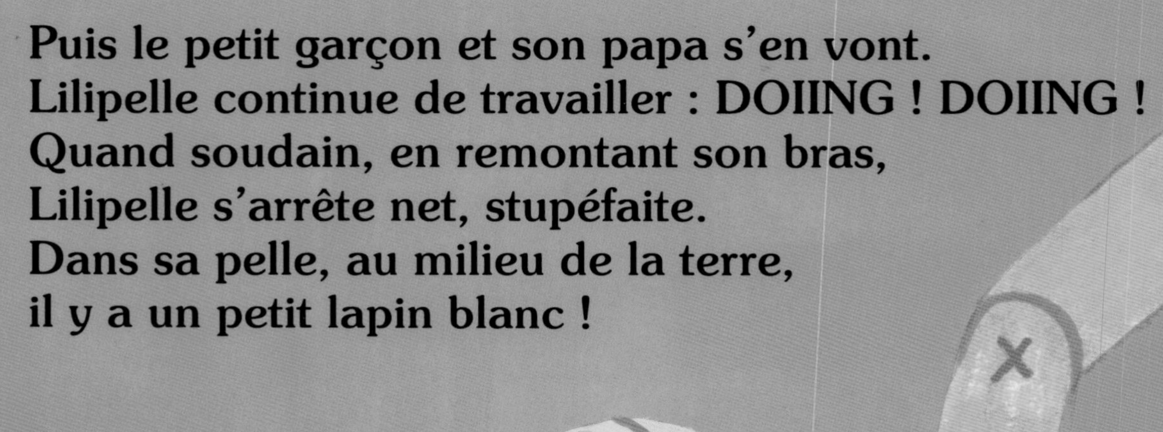

C'est un doudou,
avec un nœud autour du cou.
Le même que... Mais oui !
Lilipelle se souvient,
ce doudou appartient au petit garçon.

Ce doudou, Lilipelle doit le rapporter !
Parce qu'elle sait que le petit garçon va le chercher.
Et s'il ne le trouve pas, il va pleurer.
Alors Lilipelle se met en route.

Elle va à la sortie de l'école, là où sont les enfants.
La voilà, son long bras tendu,
avec dans la pelle le doudou lapin,
debout, pour qu'on le voie bien.

Lilipelle attend longtemps
devant la porte de l'école.
Mais il n'y a pas d'enfants. C'est dimanche.
Et dimanche, l'école est fermée.

Lilipelle va au square.
Là, il y a toujours plein d'enfants.
Elle s'installe au milieu, son long bras tendu,
avec dans la pelle le doudou lapin,
debout, pour qu'on le voie bien.

Mais le petit garçon n'est pas là
et les gens s'énervent :
– Que fait cette pelleteuse ici ?
Elle nous gêne ! Allez, ouste, du vent !
Sinon, on appelle la police !

Lilipelle va à la sortie du village.
Là, il y a une fête foraine,
et les enfants adorent les manèges.
Lilipelle s'installe au milieu,
son long bras tendu,
avec dans la pelle le doudou lapin,
debout, pour qu'on le voie bien.

Mais le petit garçon n'apparaît pas,
et les gens s'énervent :
– Que fait cette pelleteuse ici ?
Elle nous gêne ! Allez, ouste, du vent !
Sinon, on appelle la police !

La nuit est tombée.
Il n'y a plus personne dans les rues.
Mais Lilipelle, elle, continue de chercher.
Elle longe les maisons,
avec dans sa pelle le doudou lapin,
debout, pour qu'on le voie bien.

Quand soudain, un cri perce la nuit :
– Doudou Lapin ! Maman, viens voir !
C'est le petit garçon à la fenêtre
qui montre du doigt son doudou lapin
dans la pelle de Lilipelle.

Lilipelle monte son bras
jusqu'à la fenêtre.
Le petit garçon
n'a plus qu'à attraper
son doudou.
Il le serre très fort
dans ses bras.

Lilipelle sourit
à sa façon :
elle allume ses lumières,
qui clignotent,
devant, derrière,
comme de grosses étoiles
tombées à terre.
– Oh, merci !
s'émerveille
le petit garçon.

Quelques semaines plus tard, la maison est finie.
Lilipelle est encore là quand elle voit arriver…
Devinez qui ? Le petit garçon, son papa et sa maman
qui emménagent dans leur nouvelle maison.
– Maman, regarde, dit le petit garçon,
la pelleteuse, là-bas ! Et il s'approche d'elle.

Lilipelle baisse doucement son bras :
c'est sa façon de dire « Monte ! ».
Le petit garçon grimpe dans la pelle.
Lilipelle lève son bras, haut, très haut,
et ensemble, ils font le tour de la maison.
Lilipelle est heureuse : dans sa pelle,
elle a le plus beau des trésors.

Collection Les Belles Histoires des tout-petits

La princesse qui suçait son pouce

La fée Fifolette
a cassé sa baguette

La fée Fifolette
et le gâteau Bonbon

Le grand amour de Bô l'ourson

Qui veut un bisou ?

Croqu'enboui

La petite marmite qui tiptopait

EN AVANT, PETIT TRAIN !

Le concours de bisous

Zipette et Pigolin

Le voyage de Zipette

Le pique-nique magique

Au cirque BAVARD

Dis papa, pourquoi ?

Roule Citrouille

Vive le roi Pépin !

GROSSE PATATE

PETIT CHAT NOIR A PEUR DU SOIR

Doudou est en colèr

La cuillère amoureuse

Loup Gouloup et la lune

Un Doudou si Doux

Sara s'en va

Petit Hippo et son stylo magique

TCHÂ chez le coiffeur

de COULICO

Un poussin de mauvais poil

OULALA, CHASSEUR DE LIONS

La petite pousse qui pousse

Petite Flamme cherche un abri

MONSIEUR ET MADAME MONSTRE

Non!

de couleurs

Le petit pompier

JOYEUX ANNIVERSAIRE, MONSIEUR LAPIN!

Boucle d'Or

Coucou, Père Noël!

Du lait pour mon chat

LE PAPA DE PAUL

La pelote de soucis